KT-487-261

獻給史帝芬、蘇珊和費歐娜

路易絲·格雷

獻給托馬斯

茱莉亞·薩達

再見壞心情

作者／路易絲·格雷　繪者／茱莉亞·薩達　譯者／柯倩華
發行人／黃長發　副總經理／陳鳳鳴
企劃主編／張月鶯　資深編輯／江姿蓉　企劃編輯／劉雅涵　美術編輯／郭憶竹
行銷企劃／陳美玲、周子耀　業務經理／李連旺
出版者／台灣東方出版社股份有限公司
地址／臺北市大同區承德路二段 81 號 12 樓之 2
登記證／局版臺業字第 0840 號
電話／（02）2558-1117　傳真／（02）2558-2229
印刷／沈氏藝術印刷股份有限公司
郵撥帳號／0000002-6
初版／2020年 9月　定價／300元
ISBN：978-986-338-344-4

SWEEP
Original English language edition first published in 2018 under the title Sweep
by Egmont UK Limited, 2 Minster Court, 4th Floor, London EC3R 7BB, UK
Text copyright © Louise Greig 2018
Illustrations copyright © Júlia Sardà 2018
The Author and Illustrator have asserted their moral rights.
This edition arranged with Egmont UK Limited through BIG APPLE AGENCY, INC., LABUAN, MALAYSIA.
Complex Chinese translation rights © 2020 by The Eastern Publishing Co., Ltd.
All rights reserved.

Sweep 再見壞心情

作者／路易絲·格雷　繪者／茱莉亞·薩達

譯者／柯倩華

艾德心情好的時候，　是很友善的艾德。

艾德心情不好的時候，　就不同了。

現在，　艾德的心情很壞。

這心情不像茶杯裡的小風波，
還沒成形之前就吹散了。

才不是呢，這心情像氣沖沖的暴風橫掃過他，
而且一直跟著他。

起初只是小小的，

真的很小，根本不算什麼。

可是，艾德還沒想清楚怎麼回事，
它就變大了，速度愈來愈快，
逼著艾德一路往下掃。

艾德的壞心情認為這樣做很好。

但是被艾德掃到的東西
可不這麼想。

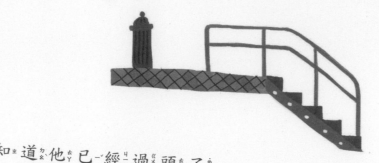

艾德完全知道他已經過頭了，

可是他無法讓自己說：好了，這樣夠了。

於是，他掃出更大的風暴。更大、更大的風暴。

直到他掃出的風暴比他更大！

如果艾德抬頭向上看，他一定會注意到
許多美麗的事物，
它們總是能使他的心快樂的歌唱。

可是，他不肯向上看。
地面更有趣，至少他的壞心情
這樣告訴他。

每件事好像都在跟他作對。

反而讓他更堅持。

他堅定不移的繼續前進。

只有艾德和他的壞心情。

這樣做真的值得嗎？他問自己。

是的，他的壞心情這樣決定。

不過，艾德卻有一點猶豫。

現在，他的壞心情橫掃過整個城市。

鳥兒停止唱歌。

花兒都消失了。

這件事影響了每個人和每件事。

艾德的壞心情認為太好了！
可是，艾德其實開始後悔了，
起初要是像茶杯裡的風波，早早吹散就好了。

四周愈來愈暗，艾德又累又餓。

他發現要持續下去，愈來愈困難。

他現在當然不可以放棄吧？

他已經辛辛苦苦經歷了那麼多麻煩。

不可以，那太瘋狂了。

可是，有些事一定要改變。

變了！變了！

一股清新的風觸動了他。

起初小小的，

真的很小，

然後，愈來愈大，

比ㄅㄧˇ艾ㄞˋ德ㄉㄜˊ
更ㄍㄥˋ大ㄉㄚˋ。

忽然，一切看起來不一樣了。
世界看起來更明亮了。

有幾秒鐘，艾德覺得自己很傻。
難道他真的白忙了一場？

不_{ㄅㄨ}過_{ㄍㄨㄛ}，至_ㄓ少_{ㄕㄠ}現_{ㄒㄧㄢ}在_{ㄗㄞ}
空_{ㄎㄨㄥ}氣_{ㄑㄧ}很_{ㄏㄣ}清_{ㄑㄧㄥ}淨_{ㄐㄧㄥ}。

有一樣東西吹到他的面前。

那樣東西使他抬頭向上看。

他的心情也跟著向上飛揚，

飛得愈來愈高、愈來愈高——直

到

天

空。

他忽然注意到身邊到處都有美麗的事物。

他完全樂在其中。

至於他的壞心情，已經消失得無影無蹤了。

現在，每當艾德好像，

只是好像，將要轉成壞心情，

而且又要往下掃向那條道路時，

他會多想一想。

　　第一個念頭是，我要這樣做嗎？

而ㄦˊ第ㄉㄧˋ二ㄦˋ個ㄍㄜ˙念ㄋㄧㄢˋ頭ㄊㄡˊ則ㄗㄜˊ是ㄕˋ……

還ㄏㄞˊ是ㄕˋ不ㄅㄨˋ要ㄧㄠˋ好ㄏㄠˇ了ㄌㄜ˙？